MAURICE RAVEL

ŒUVRES POUR PIANO
MUSIC FOR PIANO
WERKE FÜR KLAVIER
OPERE PER PIANOFORTE

Édition originale · The Original Edition · Originalausgaben · Edizione originale

LES ÉDITIONS ORIGINALES DURAND · SALABERT · ESCHIG

Table – Contents – Indice – Inhalt

Sérénade grotesque

Maurice Ravel
1893

DR 16157

2

* Mes 69–70 : peut-être *do* bémol
Bars 69 – 70: perhaps C flat

* **Mes 137–138: peut-être *do* bémol**
Bars 137 – 138: perhaps C flat

Menuet en ut dièse mineur

Maurice Ravel
1904

DR 16157

Co-propriété de Arima Ltd.
Représentation exclusive par les Éditions Salabert

La Parade

Maurice Ravel
entre 1892 et 1898

Mouvement de marche

DR 16157

Co-propriété de Arima Ltd.
Représentation exclusive par les Éditions Salabert

12

16

Tempo di mazurka

très rythmé

Reprendre le Prélude jusqu'à la fin
Play the Prelude again through to the end

à Madame la Princesse E de Polignac

Pavane
pour une infante défunte

Maurice Ravel
1899

DR 16157

à mon cher Maître Gabriel Fauré

Jeux d'eau

Maurice Ravel
1901

Dieu fluvial riant de l'eau qui le chatouille...
Henri De Regnier

3 Cordes.

mf

cédez   légèrement

f

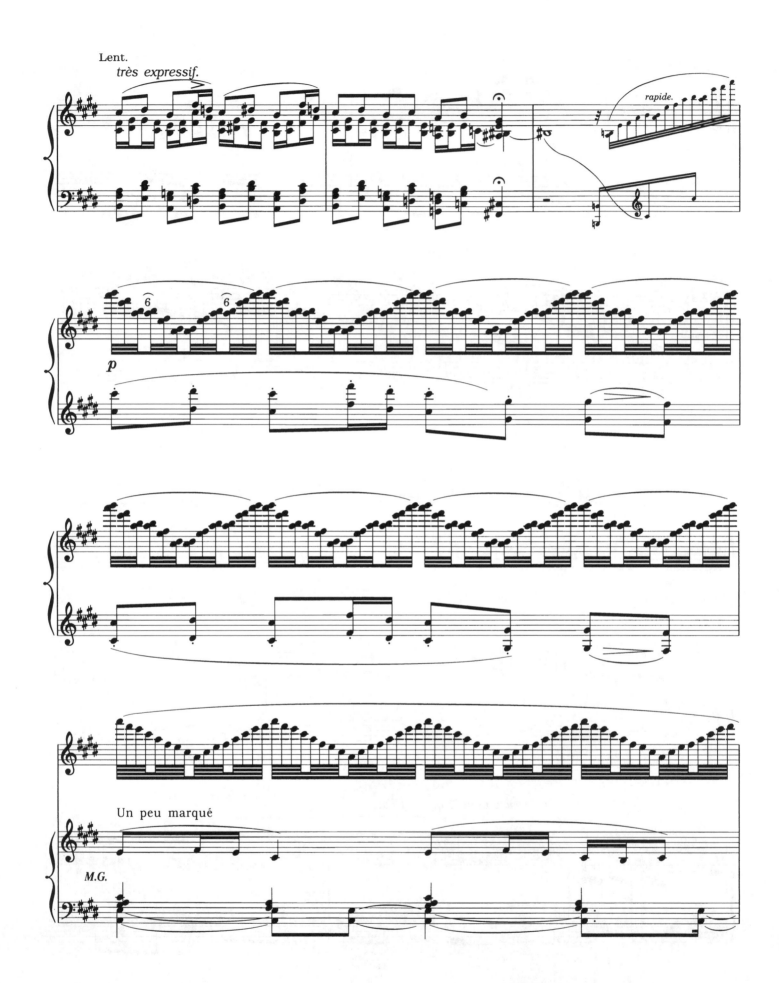

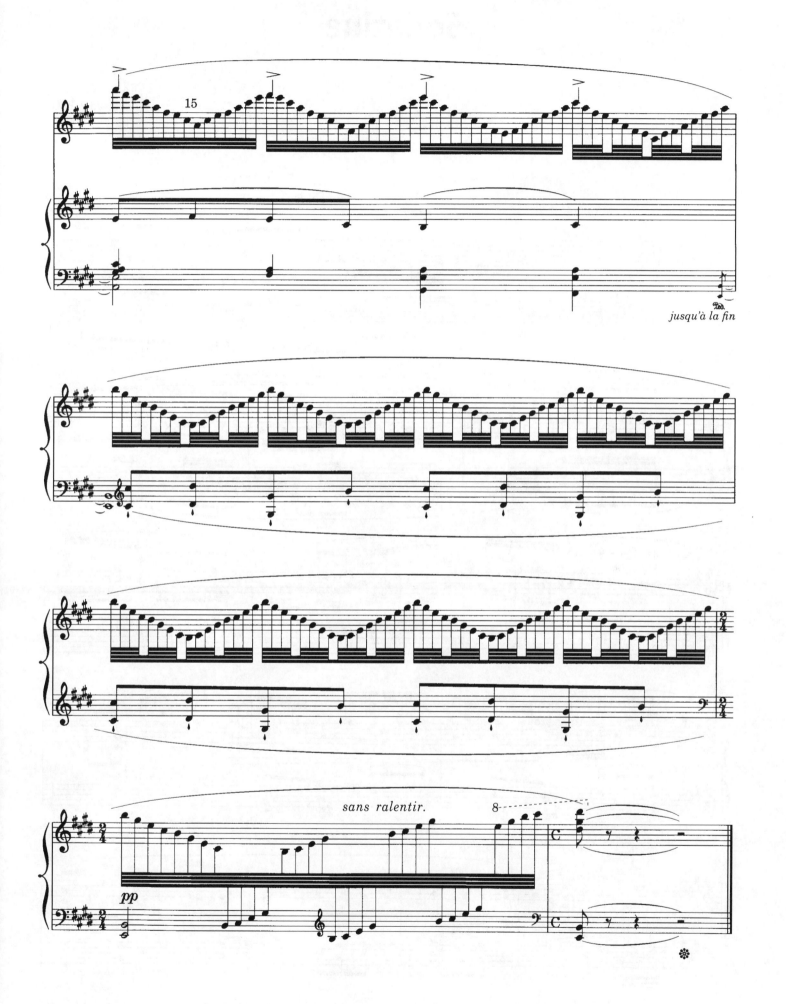

jusqu'à la fin

sans ralentir.

pp

Sonatine

Maurice Ravel
1903 – 1905

1

DR 16157

Co-propriété de Arima Ltd et Nordice B.V.
Représentation exclusive par les Éditions Durand

2

3

Miroirs

Maurice Ravel
1905

à Léon Paul Fargue

1. Noctuelles

DR 16157

Pas trop lent.(♩ = 80 environ) *sombre et expressif*

revenez au premier mouvement

1er Mouvement.

à Ricardo Viñes
2. Oiseaux tristes

à Paul Sordes

3. Une barque sur l'océan

D'un rythme souple — *Très enveloppé de pédales*

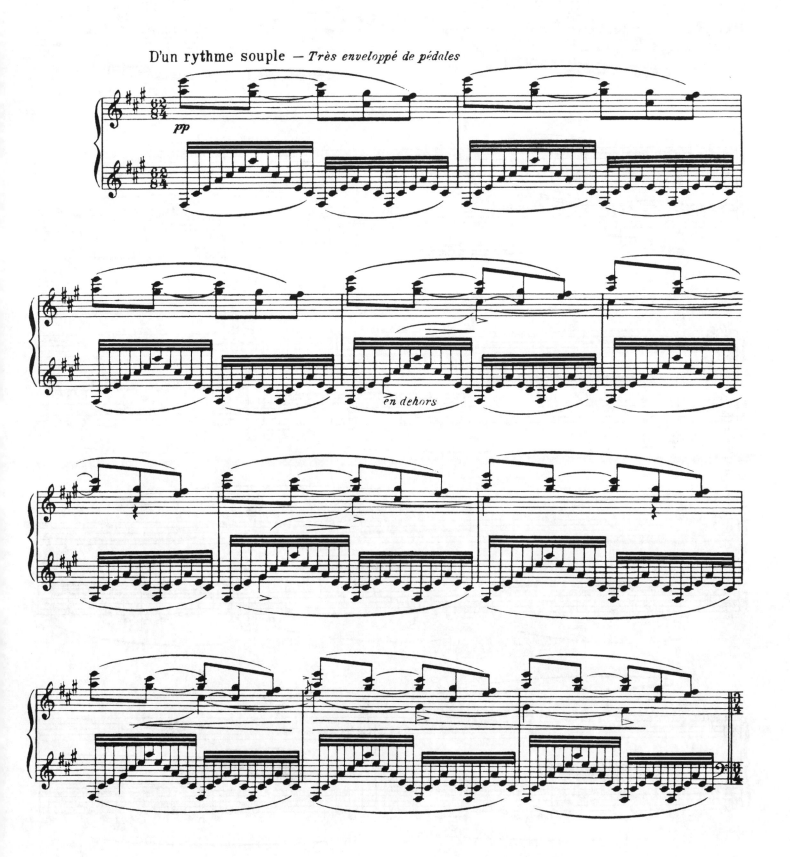

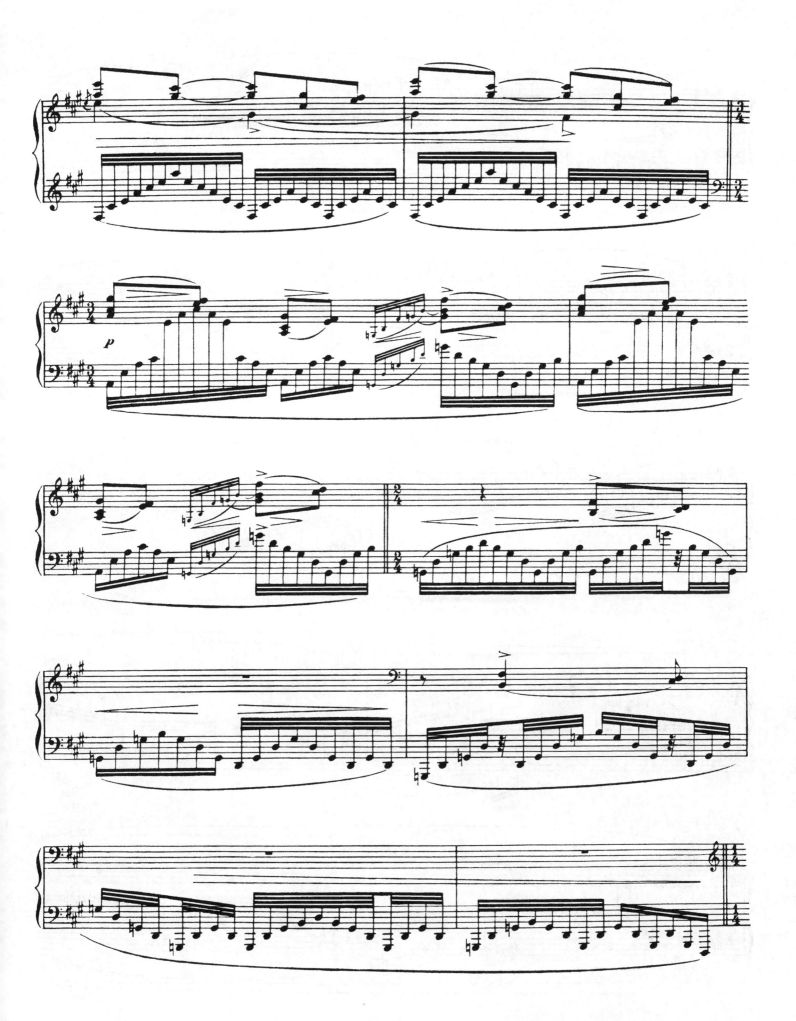

un peu en dehors

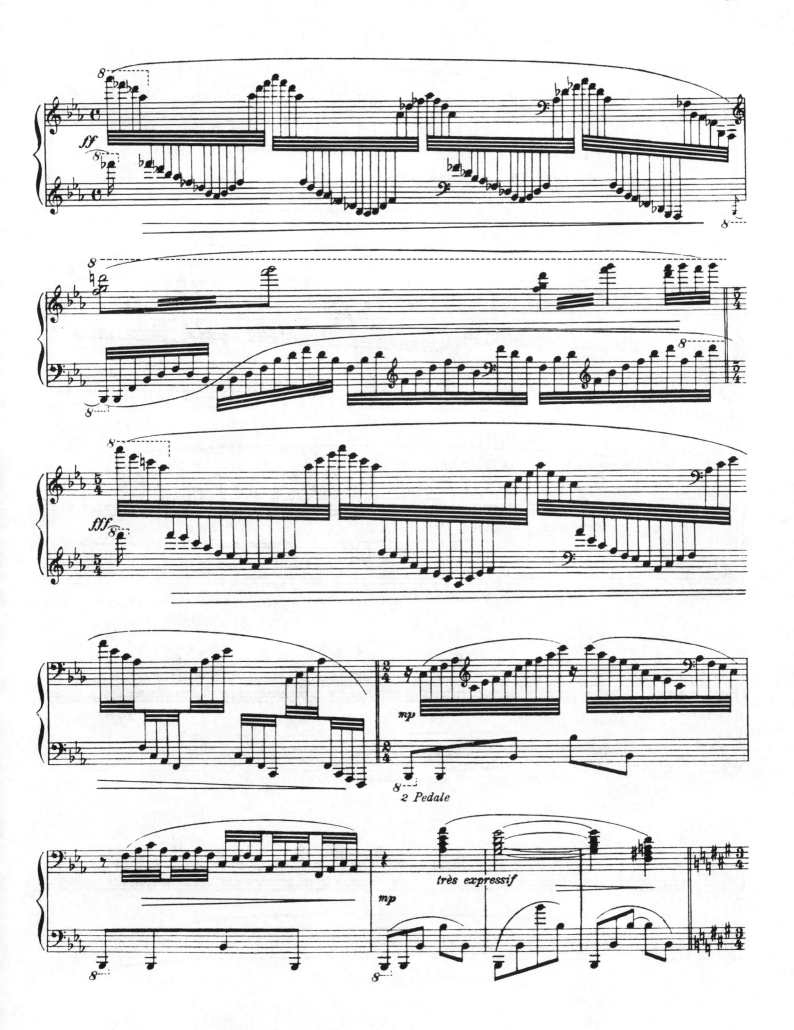

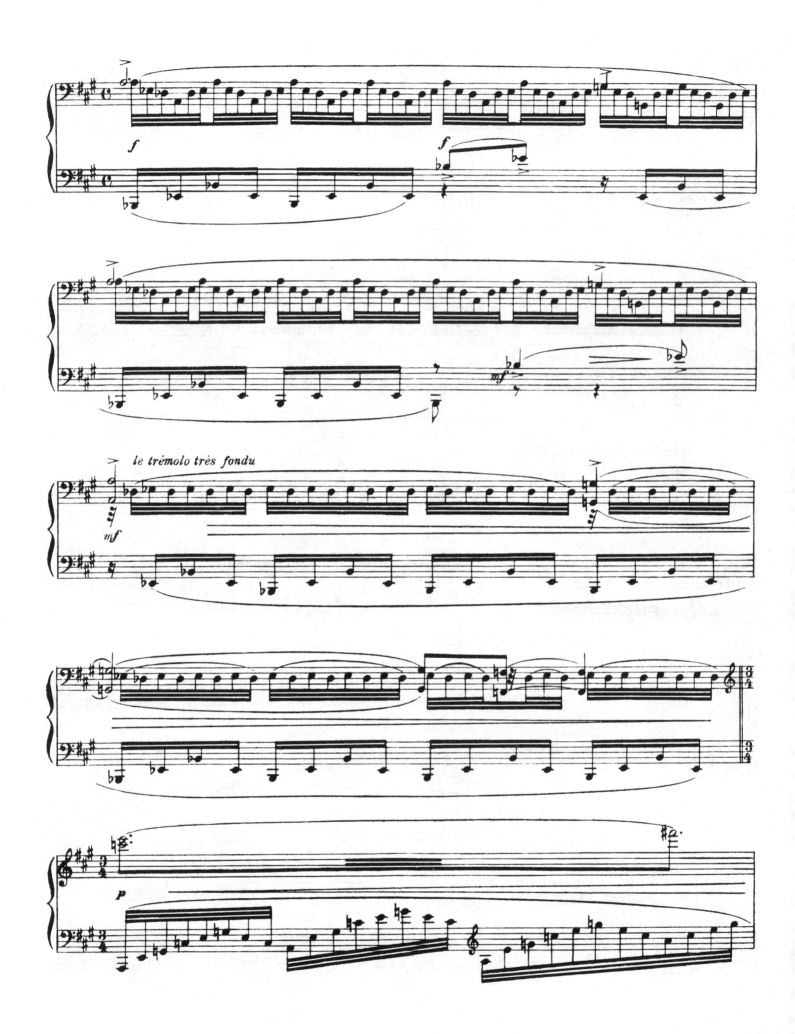

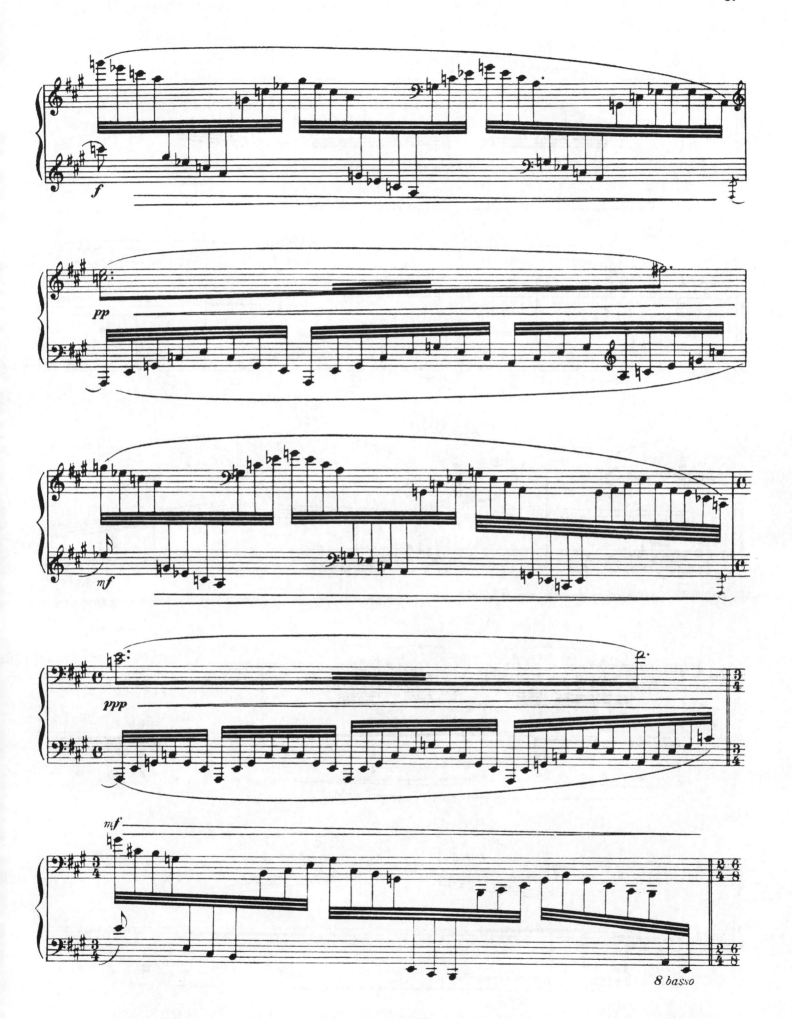

8 basso

à M.-D. Calvocoressi

4. Alborada del gracioso

DR 16157

à Maurice Delage

5. La Vallée des cloches

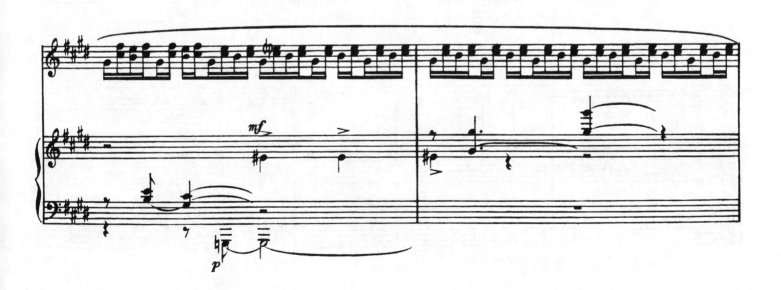

très calme

Gaspard de la Nuit

Trois poèmes pour piano d'après Aloysius Bertrand

Maurice Ravel
1908

Ondine (*)

...... Je croyais entendre
Une vague harmonie enchanter mon sommeil
Et près de moi s'épandre un murmure pareil
Aux chants entrecoupés d'une voix triste et tendre.
Charles Brugnot – *Les Deux Génies*

– «Écoute ! – Écoute ! – C'est moi, c'est Ondine qui frôle de ces gouttes d'eau les losanges sonores de ta fenêtre illuminée par les mornes rayons de la lune ; et voici, en robe de moire, la dame châtelaine qui contemple à son balcon la belle nuit étoilée et le beau lac endormi.

»Chaque flot est un ondin qui nage dans le courant, chaque courant est un sentier qui serpente vers mon palais, et mon palais est bâti fluide, au fond du lac, dans le triangle du feu, de la terre et de l'air.

»Écoute ! – Écoute ! – Mon père bat l'eau coassante d'une branche d'aulne verte, et mes sœurs caressent de leurs bras d'écume les fraîches îles d'herbes, de nénuphars et de glaïeuls, ou se moquent du saule caduc et barbu qui pêche à la ligne.»

*

Sa chanson murmurée, elle me supplia de recevoir son anneau à mon doigt, pour être l'époux d'une Ondine, et de visiter avec elle son palais, pour être le roi des lacs.

Et comme je lui répondais que j'aimais une mortelle, boudeuse et dépitée, elle pleura quelques larmes, poussa un éclat de rire, et s'évanouit en giboulées qui ruisselèrent blanches le long de mes vitraux bleus.

(*) Publié d'après l'édition du *Mercure de France*, 1908

Water Nymph

...... I thought I heard
A vague harmony enchanting my sleep,
And near me emerging a murmur like
The broken song of a voice sad and tender.
Charles Brugnot - *The Two Geniuses*

– 'Listen! – Listen! –This is me, this is Ondine, skimming with these water drops the resonant lozenges of your window, lit by the dull rays of the moon; and here, in a dress of moire, is the lady of the castle, on her balcony contemplating the beautiful starry night and the lovely lake asleep.

'Each wave is an ondine swimming in the current; each current is a path snaking towards my palace; and my palace is of fluid build, at the bottom of the lake, in the triangle of fire, earth and air.

'Listen! Listen! My father strikes the croaking water with a branch of green alder, and my sisters caress with their spume arms the cool isles of grasses, water lilies and gladioli, or else they laugh at the decaying, bearded willow with his fishing rod!

*

Having murmured her song, she begged me take her ring on my finger, to become the husband of an Ondine and go with her to her palace, to become king of the lakes.

And when I replied that I loved a mortal, she, sulky and piqued, let fall some tears, burst out laughing and vanished in showers that streamed white the length of my blue panes.

Aloysius Bertrand
English translation Paul Griffiths

à Harold Bauer

1. **Ondine**

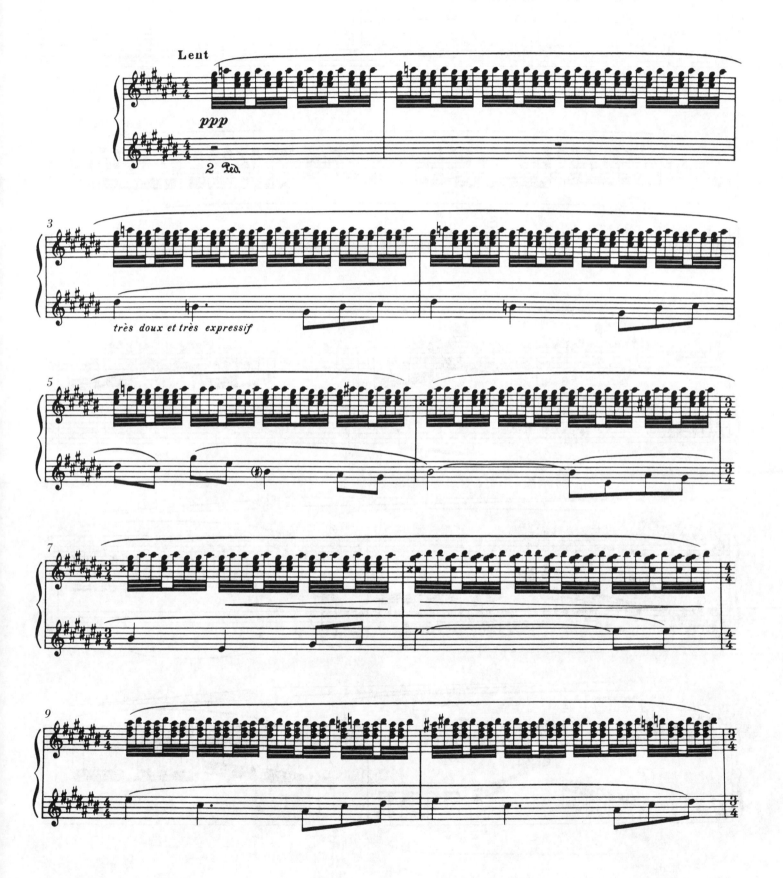

DR 16157

Co-propriété de Arima Ltd et Nordice B.V.
Représentation exclusive par les Éditions Durand

114

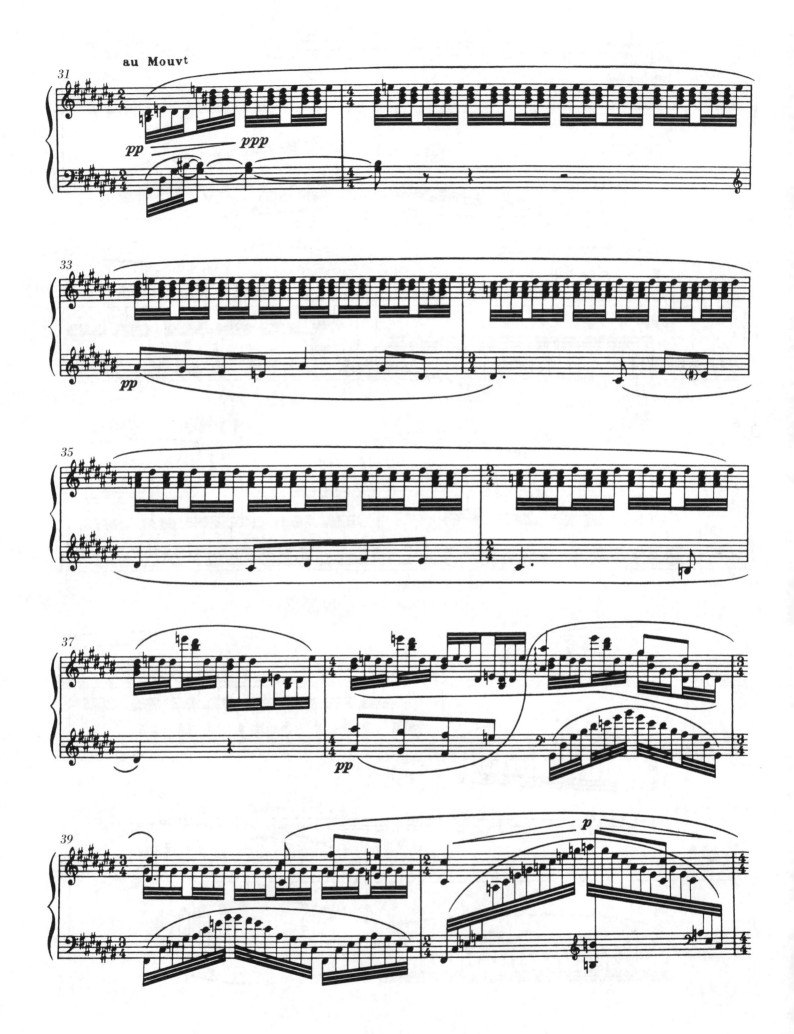

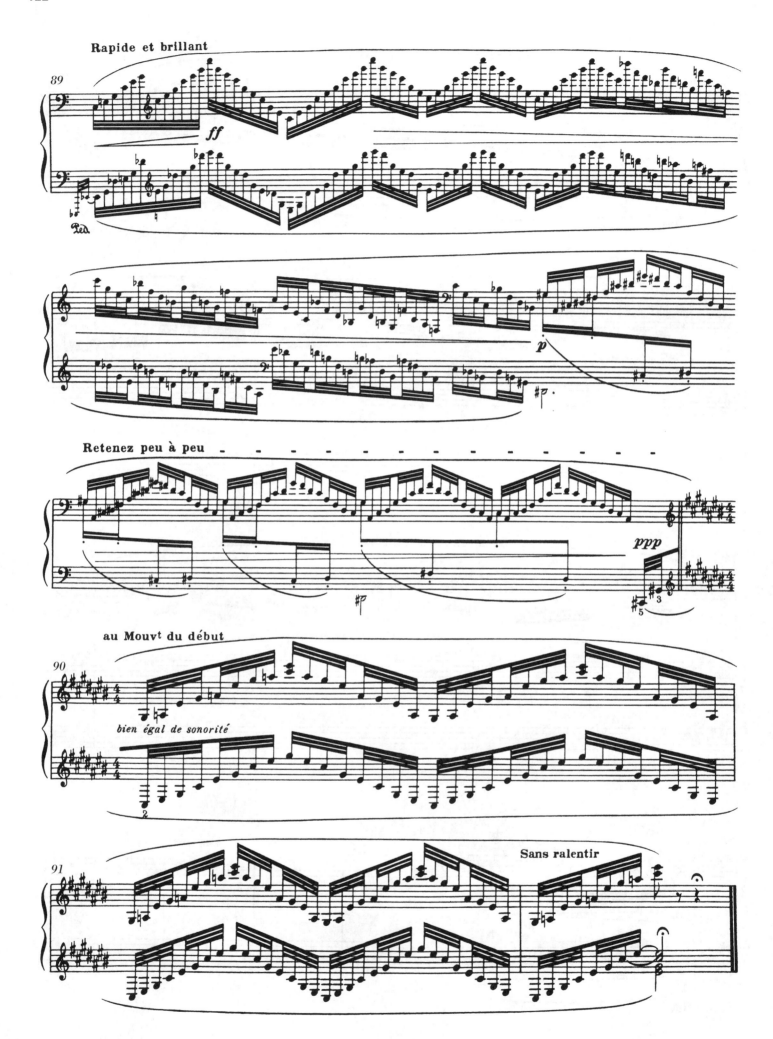

Le Gibet (*)

Que vois-je remuer autour de ce
Gibet ?   Goethe - *Faust*

Ah ! ce que j'entends, serait-ce la bise nocturne qui glapit, ou le pendu qui pousse un soupir sur la fourche patibulaire !

Serait-ce quelque grillon qui chante tapi dans la mousse et le lierre stérile dont par pitié se chausse le bois ?

Serait-ce quelque mouche en chasse sonnant du cor autour de ces oreilles sourdes à la fanfare des hallali ?

Serait-ce quelque escarbot qui cueille en son vol inégal un cheveu sanglant à son crâne chauve ?

Ou bien serait-ce quelque araignée qui brode une demi-aune de mousseline pour cravate à ce col étranglé ?

C'est la cloche qui tinte aux murs d'une ville sous l'horizon, et la carcasse d'un pendu que rougit le soleil couchant.

(*) Publié d'après l'édition du *Mercure de France*, 1908

The Gallows

...what do I see shifting around these gallows?
Goethe - *Faust*

Ah! This that I hear, is it the night's north wind yelping or the hanged man who pushes out a sigh on the sinister-looking fork?

Would it be some cricket singing crouched in the moss and barren ivy that the woodland, pitying, uses for shoes?

Would it be some fly on the hunt sounding its horn to ears that cannot hear the fanfare of hallali?

Would it be some beetle in irregular flight picking a bloody hair from his bald skull?

Or would it even be some spider embroidering half a yard of muslin to make a tie for this strangled neck?

It is the bell ringing against the walls of a town, below the horizon, and the carcass of a hanged man reddened by the setting sun.

Aloysius Bertrand
English translation Paul Griffiths

à Jean Marnold

2. Le Gibet

Très lent

Sans presser ni ralentir jusqu'à la fin

Scarbo (*)

Il regarda sous le lit, dans la cheminée, dans le bahut ; - personne. Il ne put comprendre par où il s'était introduit, par où il s'était évadé.

Hoffmann – *Contes nocturnes*

Oh ! que de fois je l'ai entendu et vu Scarbo, lorsqu'à minuit la lune brille dans le ciel comme un écu d'argent sur une bannière d'azur semée d'abeilles d'or !

Que de fois j'ai entendu bourdonner son rire dans l'ombre de mon alcôve, et grincer son ongle sur la soie des courtines de mon lit !

Que de fois je l'ai vu descendre du plancher, pirouetter sur un pied et rouler par la chambre comme le fuseau tombé de la quenouille d'une sorcière !

Le croyais-je alors évanoui ? le nain grandissait entre la lune et moi comme le clocher d'une cathédrale gothique, un grelot d'or en branle à son bonnet pointu !

Mais bientôt son corps bleuissait, diaphane comme la cire d'une bougie, son visage blêmissait comme la cire d'un lumignon, - et soudain il s'éteignait.

(*) Publié d'après l'édition du *Mercure de France*, 1908

Scarbo

He looked under his bed, in the fireplace, in the chest: no-one. He could not understand how he had got in, how he had escaped

Hoffmann – *Contes nocturnes*

Oh! How often I have heard and seen him, Scarbo, when the moon shines in the sky at midnight like a silver shield on a sky-blue banner sown with golden bees!

How often I have heard the buzz of his laughter in the shadow of my alcove, and the scrape of his nails on the silk of my bed curtains!

How often I have seen him come down from the floor, pirouette on one foot and roll through the room like a spindle fallen from a witch's distaff!

Did I think he then vanished? The dwarf would grow and grow, from me to the moon, like the bell tower of a Gothic cathedral, a little gold bell swinging on his pointed hat!

But soon his body would go blue, diaphanous as the wax of a candle, his face would pale like the wax of a taper – and suddenly he had gone out.

Aloysius Bertrand
English translation Paul Griffiths

à Rudolph Ganz
3. Scarbo

En retenant un peu

Un peu moins vif

Menuet
sur le nom de Haydn

Maurice Ravel
1909

à Louis Aubert

Valses nobles et sentimentales

Maurice Ravel
1911

... le plaisir délicieux
et toujours nouveau
d'une occupation inutile.
Henri De Régnier

1

DR 16157

2

Assez lent_avec une expression intense ♩= 104
en dehors

3

Modéré

pp léger

4

Assez animé $\dot{} = 80$

5

Presque lent-dans un sentiment intime ♩ = 96

6

7

Un peu retenu. au Mouv.ᵗ

8

Extraits de *Daphnis et Chloé*

Maurice Ravel
1909 – 1912

Danse gracieuse et légère de Daphnis

Réduction pour piano par l'auteur

Plus animé (sans décomposer)

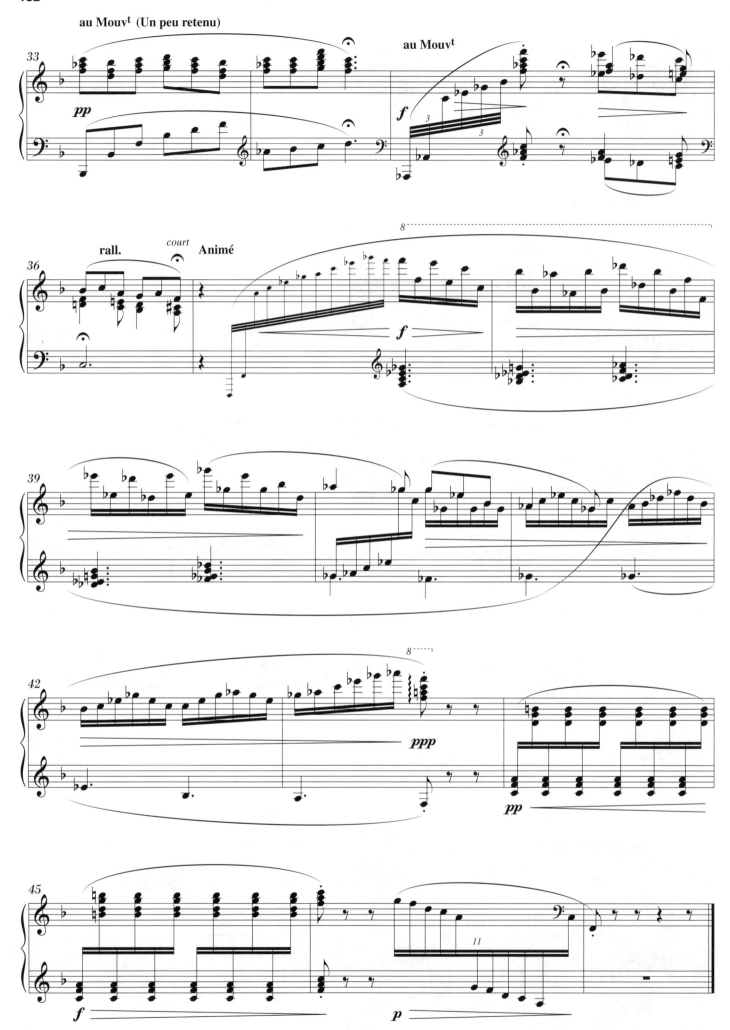

Fragments symphoniques

Réduction pour piano par l'auteur

NOCTURNE

Une lumiére irréelle enveloppe le paysage.

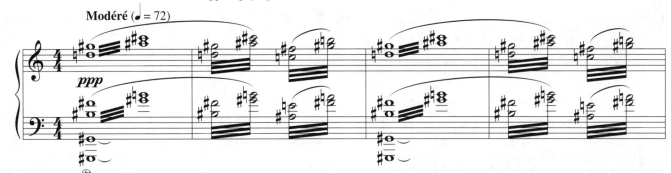

Une petite flamme brille soundain sur la tête de l'une des statues. La Nymphe s'anime et descend de son piédestal.

DR 16157

Co-propriété de Arima Ltd et Nordice B.V.
Représentation exclusive par les Éditions Durand

Elles se concertent

Plus lent (♩ = 60)

Un peu retenu

et commencent une danse lente et mystérieuse.

Lent et très souple de mesure (♩. = 40)

Peu à peu la forme du dieu se dessine

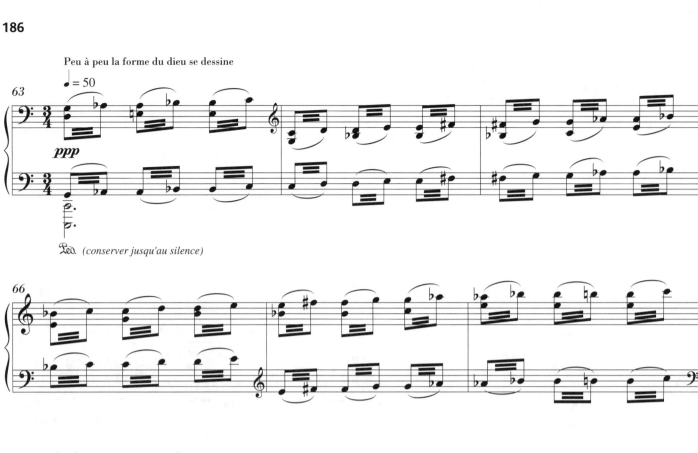

Ped. *(conserver jusqu'au silence)*

Daphnis se prosterne suppliant

Tout s'éteint

INTERLUDE

Derrière la scène on entend des voix, très lointaines d'abord

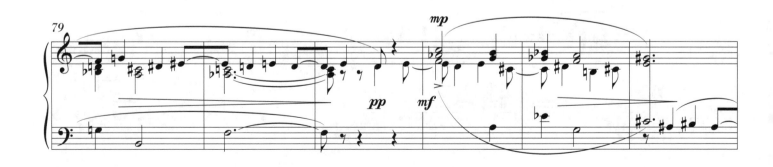

Une lueur sourde sur la scène. On est au camp des pirates. Une côte très accidentée.
Au fond, la mer. À droite et à gauche, perspective de rochers. Une tryrème se découvre,

près de la côte. Par endroit des cyprès. On perçoit les pirates, courant çà et là, chargés
de butin. Des torches sont apportées, qui finissent par éclairer violemment la scène.

DANSE GUERRIÈRE

Scène de Daphnis et Chloé

Réduction pour piano par l'auteur

que si Pan a sauvé Chloé, c'est en souvenir de la nymphe Syrinx, dont le dieu fut épris autrefois.

Daphnis et Chloé miment
l'aventure de Pan et de Syrinx.

Chloé figure la jeune nymphe errant dans la prairie.

Daphnis - Pan apparaît et lui déclare son amour.

DR 16157

Co-propriété de Arima Ltd et Nordice B.V.
Représentation exclusive par les Éditions Durand

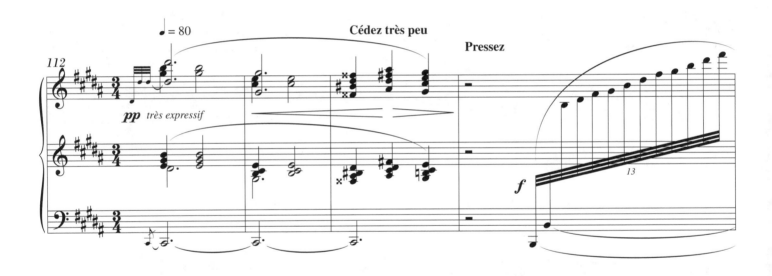

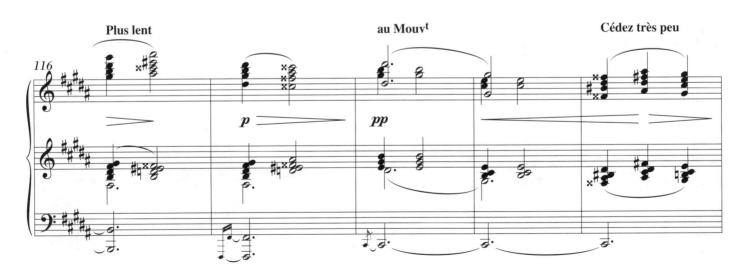

À la manière de ... Borodine

Valse

Maurice Ravel
1912

DR 16157

A la manière de...
Emmanuel Chabrier

Paraphrase sur un air de Charles Gounod (*Faust*, 2e acte)

Maurice Ravel
1912

DR 16157

à Mademoiselle Jeanne Leleu

Prélude

Maurice Ravel
1913

DR 16157

Co-propriété de Arima Ltd et Nordice B.V.
Représentation exclusive par les Éditions Durand

à la mémoire du lieutenant Jacques Charlot

Le Tombeau de Couperin

Maurice Ravel
1914 – 1917

1. Prélude *

* Les petites notes doivent être frappées sur le temps
The grace notes must be played on the beat

DR 16157

Co-propriété de Arima Ltd et Nordice B.V.
Représentation exclusive par les Éditions Durand

à la mémoire du sous-lieutenant Jean Cruppi

2. Fugue

à la mémoire du lieutenant Gabriel Deluc

3. Forlane *

* Les petites notes doivent être frappées sur le temps
  The grace notes must be played on the beat

à la mémoire de Pierre et Pascal Gaudin

4. Rigaudon *

* Les petites notes doivent être frappées sur le temps
  The grace notes must be played on the beat

à la mémoire de Jean Dreyfus

5. Menuet *

* Les petites notes doivent être frappées sur le temps
  The grace notes must be played on the beat

6. Toccata

à Misia Sert

La Valse

Poème chorégraphique pour orchestre

Maurice Ravel
1906 – 1914 et 1919 – 1920
Transcription pour piano par l'auteur

DR 16157

Co-propriété de Arima Ltd et Nordice B.V.
Représentation exclusive par les Éditions Durand

Un peu plus modéré

p expressif

très expressif

Velles

Altos